Garfield

ALBUM GARFIELD  #28

PRESSES AVENTURE

Publié par **Presses Aventure,** une division de
Les Publications Modus Vivendi inc.
55, rue Jean-Talon Ouest, 2ᵉ étage
Montréal (Québec)
Canada
H2R 2W8

Infographie : Modus Vivendi
Version française : Marc Alain

Dépôt légal – Bibliothèque et Archives nationales du Québec, 2007
Dépôt légal – Bibliothèque et Archives Canada, 2007

ISBN-13 : 978-2-89543-615-7

Nous reconnaissons le soutien financier du gouvernement du Canada par l'entremise
du Programme d'aide au développement de l'industrie de l'édition (PADIÉ) pour nos
activités d'édition.

Gouvernement du Québec – Programme de crédit d'impôt pour l'édition de livres –
Gestion SODEC

UN PEU DE SOUPE AU POULET, GARFIELD?

NON MERCI, VRAIMENT JE NE PEUX PAS

JE N'AI JAMAIS VU GARFIELD REFUSER DE LA NOURRITURE

JE PRENDS CE STEAK, ET TU NE PEUX RIEN Y FAIRE, LES GROSSES JOUES

J'AI TOUJOURS ENCOURAGÉ GARFIELD À ÊTRE AFFIRMATIF, MAIS JE CROIS QUE CETTE FOIS IL A ODIEUSEMENT DÉPASSÉ LES BORNES

BONK!
BONK!

BONK!
BONK!

IL FAUDRA BIEN QU'ODIE APPRENNE À MARCHER UN DE CES JOURS

JE ME DEMANDE CE QUE LES ANIMAUX FONT QUAND ILS IGNORENT QUE LEUR PROPRIÉTAIRE LES OBSERVE

ALLONS VOIR

JE NE PEUX PAS LE CROIRE

MOI NON PLUS. ODIE VIENT DE JOUER UN CARRÉ D'AS

CLANG!

HÉ, GARFIELD, COMMENT TROUVES-TU MA NOUVELLE CLOCHE?

ELLE A SU CAPTER MON ATTENTION

ON NON! MES PATTES SE CHANGENT EN GÉLATINE! MON ESPRIT EN PURÉE! SERAIT-CE UN LASER?... UN RAYON DE LA MORT? NON! C'EST ...

MON RAYON DE SOLEIL

11-13

ON NE M'APPELLE PAS LE ROI DU TWIST POUR RIEN

TOUS DROITS RESERVES

JE DÉTESTE LES LUNDIS. JE NE PEUX ME DÉBARRASSER DE CETTE DÉSAGRÉABLE SENSATION QUE QUELQUE CHOSE D'ÉPOUVANTABLE VA M'ARRIVER

JIM DAVIS

11-28

JE SUIS SAUVÉ! QUELLE JOIE DE REVOIR UN VISAGE FAMILIER!

© 1983 PAWS, INC.

TU VAS CHEZ LE VET, GARFIELD

ARRRRGH

TU N'AS PAS L'AIR HEUREUX, GARFIELD

JIM DAVIS

11-29

HEUREUX D'ALLER À LA CLINIQUE? METS-TOI À MA PLACE

TU FLIRTES AVEC LA VÉTÉRINAIRE PENDANT QUE JE REÇOIS LE BOUT FROID DE SON THERMOMÈTRE

© 1983 PAWS, INC.

SAVIEZ-VOUS QUE JE SUIS UNE CURIOSITÉ MÉDICALE DOC?

ÇA NE M'ÉTONNE PAS

JIM DAVIS

11-30

IL ME MANQUE UN ORGANE PRINCIPAL

VOTRE CERVEAU?

MON CŒUR, VOUS ME L'AVEZ VOLÉ

JE DÉTESTE VOIR PLEURER UN DOCTEUR

© 1983 PAWS, INC.

J'AIMERAIS PRENDRE UN AUTRE RENDEZ-VOUS, LIZ

D'ACCORD QUAND?

SI ON DISAIT VENDREDI SOIR, POUR DÎNER?

NON!

SUBTILE, MAIS FERME

VOTRE CHAT EST EN EXCELLENTE SANTÉ, M. ARBUCKLE

PARFAIT, MAINTENANT SI ON PARLAIT DE NOUS

D'ACCORD

VRAIMENT?

VOUS ME DEVEZ QUARANTE DOLLARS

J'ADORE LE DISCOURS AMOUREUX

SALUT ODIE

SI LE CERVEAU DU CHIEN ÉTAIT UNE VOITURE, IL SERAIT BLOQUÉ AU POINT MORT

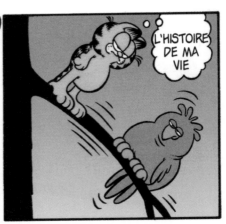

TOUS DROITS RÉSERVÉS

C'était la veille de Noël, et dans toute la maison, aucune créature ne remuait; pas même une souris. Les bas étaient suspendus à la cheminée dans l'espoir que le Père Noël finirait par passer.

REMPLIS CELUI-CI, PÈRE NOËL!

Les enfants, endormis bien au chaud dans leur lit, rêvaient d'étrennes et de festins.

MAINTENANT, JE VEUX VOIR DES LASAGNES

Maman avec son fichu, et moi avec mon chapeau avions préparé nos cerveaux à une longue hibernation.

C'EST MON GENRE D'HISTOIRES

Quand dans la cour se fit un grand fracas, je sautai du lit pour voir ce qui se passait. Là, en un éclair, je fus tout près de la fenêtre. J'ouvris les volets, puis levai le chassis.

QU'EST-CE QU'UN CHASSIS?

La lune, au cœur de la neige brillante, illuminait les maisons, les rues et les trottoirs quand apparurent à mes yeux émerveillés un traîneau miniature avec huit rennes à l'avant.

ILS ONT L'AIR PLUS GROS À LA TÉLÉ

Il y avait aussi un tout petit chauffeur, si agile et si vif que j'ai compris sur-le-champ que c'était saint Nicolas.

OU PEUT-ÊTRE LE PÈRE NOËL

Plus rapide que des aigles, ses coursiers approchèrent. Il siffla, il cria, les appela par leurs noms : Ici Dasher! Ici Dancer! Ici Prancer et Vixen! Ici Comet! Ici Cupid! Ici, Donder et Blitzen!

ICI, ABRUTI! ICI, MORVEUX! ICI, HEUREUX!

Par-dessus le porche! Par-dessus le mur! Allez courez! Courez! Courez! Courez tous!

EST-CE QU'ILS NE POURRAIENT PAS SIMPLE-MENT MARCHER?

Et juste avant que n'arrive l'ouragan déchaîné, ils rencontrèrent un obstacle, le contournèrent et remontèrent cette fois-ci sur le toît. L'attelage se posa : le traîneau rempli de jouets, le bon Saint Nicolas

REVENEZ DEMAIN, LE MEILLEUR EST À VENIR

HI HI

CROUCH
CROUCH

JIM DAVIS   12-26

LES CHATS ONT L'IMAGINATION SI VIVE. JE ME DEMANDE À QUOI PENSE GARFIELD EN CE MOMENT

BON   ME VOICI DANS UN SAC DE PAPIER BRUN

© 1983 PAWS, INC.

INTÉRESSANT

12-27   JIM DAVIS

LE FAIT DE RÉSIDER DANS UN SAC DE PAPIER BRUN VOUS DONNE UNE TOUT AUTRE VISION DE VOUS-MÊME

JE ME SENS COMME UN MAGAZINE SALE

© 1983 PAWS, INC.

CE SAC A BESOIN DE TROUS POUR LES YEUX

12-28   JIM DAVIS

FROISSE

RIP   FROISSE

Y A QUELQUE CHOSE QUI CLOCHE ICI

© 1984 PAWS, INC.

JIM DAVIS

1-8-84

TOUS DROITS RESERVES

LÈVE-TOI ET RAYONNE, GARFIELD, C'EST UNE BELLE JOURNÉE ENSOLEILLÉE!

1-2-84   JIM DAVIS

ÇA VA ÊTRE UNE JOURNÉE SUPERBE, MERVEILLEUSE!

JE CROIS QUE J'AI EXAGÉRÉ MON ENTHOUSIASME

COMMENT PRENDRAS-TU TON CAFÉ, GARFIELD?

FAIS-LE ASSEOIR ET JAPPER

JIM DAVIS 1-3-84

ÇA VA COMME ÇA?

EXCELLENT

JIM DAVIS

TOUS DROITS RÉSERVÉS

1-4-84

OH, NON! SON VIEUX TRUC « DÉGUISER LA LANGUE EN BAGUETTE FRANÇAISE »!

IL Y A UNE CHOSE QUE J'AIME À LA FERME

LA NOURRITURE EST FRAÎCHE

ICI, LE GOÛTER. ICI, LE GOÛTER

EUH OH

JE SUIS CUIT

JIM DAVIS   1-15

GARFIELD! OÙ ÉTAIS-TU PASSÉ?!

À LA BARRE DES ACCUSÉS

EXAMINONS UN PHÉNOMÈNE ANIMAL QUE L'ON APPELLE « L'ARRACHÉ »

CELA ARRIVE QUAND UN ANIMAL COURT DANS TOUTE LA MAISON SANS RAISON APPARENTE

AUTRE QUE DE MASSACRER LE CHAT DU FOYER

ARRÊTEZ DE COURIR PARTOUT LES GARS

GARFIELD, RALENTIS

OK

AIMERAIS-TU FAIRE UNE PROMENADE, ODIE?

ATTENDS UN PEU IL NOUS FAUT UNE LAISSE

NE TE MÊLE PAS DE ÇA

BONJOUR, GARFIELD. C'EST MOI, NERMAL. JE SUIS JEUNE ET BEAU ET PAS TOI

JE N'AVAIS PAS BESOIN DE ÇA

1-23

PUIS-JE T'APPORTER QUELQUE CHOSE, GARFIELD?

OUI, QUE DIRAIS-TU D'UN VERRE DE JUS DE PETIT MINET FRAÎCHEMENT PRESSÉ?

TU NE M'AIMES PAS, HEIN?

1-24

QU'IL EST MIGNON! NERMAL M'A APPORTÉ MON JOURNAL

ET MES PANTOUFLES, ET MA PIPE. QU'EST-CE QU'UN HOMME POURRAIT DÉSIRER DE PLUS?

UNE FEMME, PEUT-ÊTRE?

1-25

GARFIELD, C'EST ÉCRIT QUE L'ON PEUT DÉPLOYER UNE FORCE SURHUMAINE DANS LES MOMENTS DE STRESS EXTRÊME

BALIVERNES!

J'Y PENSE, JE T'EMMÈNE CHEZ LE VÉTÉRINAIRE AUJOURD'HUI

TU NE POURRAS PAS TE CACHER DE MOI JUSQU'À LA FIN DES TEMPS, GARFIELD. JE VAIS TE TROUVER ET T'APPORTER CHEZ LE VÉTÉRINAIRE

TU ES PEUT-ÊTRE RUSÉ, MAIS JE LE SUIS PLUS QUE TOI

« RUSÉ » EST MON SURNOM

GARFIELD NE PEUT RÉSISTER À LA LASAGNE, ALORS QUAND IL VIENDRA POUR LA MANGER, JE VAIS L'ATTRAPER ET L'APPORTER CHEZ LE VÉTÉRINAIRE

SMACK GULP SLURP

CE CHAT A LES LÈVRES LES PLUS LONGUES QUE JE N'AI JAMAIS VUES

TOUS DROITS RÉSERVÉS

MAINTENANT, OÙ GARFIELD PEUT-IL BIEN ÊTRE

2-9

JIM DAVIS

IL N'EST PAS DANS LE POT DE BISCUITS, CERTAINEMENT PAS DANS CELUI DES FRIANDISES POUR CHIEN

© 1984 PAWS, INC.

C'EST UNE BONNE CHOSE QUE JE NE SACHE PAS LIRE

POO!

AHA! TE VOICI! MAINTENANT CHEZ LE VÉTÉRINAIRE

JIM DAVIS

© 1984 PAWS, INC.

DÉSOLÉ ODIE

SMACK

2-10

J'AIMERAIS BIEN TROUVER GARFIELD POUR POUVOIR L'EMMENER CHEZ LE VÉTÉRINAIRE

JIM DAVIS

2-11

IL A VRAIMENT TROUVÉ UNE BONNE CACHETTE

© 1984 PAWS, INC.

UNE BONNE CACHETTE PAS UNE CACHETTE INTELLIGENTE, MAIS UNE BONNE CACHETTE

NE SERAIT-CE PAS MER-VEILLEUX SI TOUTE CHOSE POUVAIT PARLER?

JE SORTIRAIS DU LIT ET LE MUR ME DIRAIT : « BONJOUR, JON » ET L'ÉVIER ME DIRAIT « BONJOUR, JON »

PAS SI MERVEILLEUX QUE ÇA

À CHAQUE FOIS QU'UNE AMPOULE BRÛLERAIT, CE SERAIT COMME UN DÉCÈS DANS LA FAMILLE

SI LES GENS AVAIENT DES POILS PARTOUT SUR LE CORPS, EST-CE QU'ILS PORTERAIENT DES VÊTEMENTS?

PROBABLEMENT PAS

QUE SE PASSERAIT-IL SI LES GENS ÉTAIENT DES CHATS, ET LES CHATS DES GENS

FACILE

ON ASSISTERAIT VITE À L'EXTINCTION DES CHIENS

TAPPITY TAPPITY TAPPITY

BONSOIR, MESDAMES ET MES VIEUX. DANS L'ASSISTANCE CE SOIR, UNE DÉLÉGATION DE SCOUTS DE BOOGA-BOOGA. BIENVENUE LES GARS

JE VOUS DÉDIE MA PREMIÈRE CHANSON, QUI A JUSTEMENT POUR TITRE : « TU M'AS PLANTÉ S'COUT-EAU-LÀ DANS L'CŒUR »

2-26

HÉ!

WHIFF

JIM DAVIS

D'ACCORD, GRANDS NIGAUDS DE BOOGA-BOOGA! SI VOUS VOULEZ LANCER QUELQUE CHOSE, LANCEZ DE LA MONNAIE COMPRIS

CLOBBER

IDIOT! J'AI OUBLIÉ QUE LES SEULES PIÈCES QUI ONT COURS À BOOGA-BOOGA, CE SONT DES ROUES DE CHARS

TOUS DROITS RÉSERVÉS

GARFIELD

IL A NEIGÉ LA NUIT DERNIÈRE!

ALORS LES GARS, VOUS ALLEZ JOUER DANS LA NEIGE, HEIN?

3-4

IL FAUDRA D'ABORD REVÊTIR VOS BEAUX CHANDAILS DE LAINE BIEN CHAUDS

JIM DAVIS

© 1984 PAWS, INC.

VOS TUQUES, VOS MITAINES ET VOS BOTTES

VOUS VOICI FIN PRÊTS, LES GARS

ALORS, ON S'AMUSE FERME?

HA HA HA HIII

TOUS DROITS RÉSERVÉS

TOUS DROITS RÉSERVÉS

QUI EST-CE QUI HALÈTE À MA PORTE?

JIM DAVIS 3-5

HONK HONK

OH, BONJOUR ODIE

HONK

BÂILLE

3-6

JIM DAVIS

GASP!

ME RÉVEILLER AVEC MON HALEINE DE CHEVAL, C'EST DÉJÀ PÉNIBLE, ALORS AVEC L'HALEINE DE QUELQU'UN D'AUTRE, C'EST INSOUTENABLE

JE SUIS FIER D'ÊTRE UN ANIMAL DE COMPAGNIE, LES ANIMAUX AJOUTENT UNE TOUCHE D'ÉLÉGANCE À UN FOYER

SLUP SLUP

JIM DAVIS

JE SUIS FIER D'ÊTRE UN CHAT

SLUP SLUP

3-7

HÉ, GARFIELD, CETTE SEMAINE NOUS IRONS À LA FERME VOIR PAPA ET MAMAN

3-12

FORT BIEN. J'AI BESOIN DE CHANGER D'AIR. CETTE VIE DE CITADIN COMMENÇAIT À M'ENNUYER

CE SERA BIEN DE S'ENNUYER À LA CAMPAGNE PENDANT QUELQUE TEMPS

C'EST BON D'ÊTRE DE RETOUR À LA FERME, GARFIELD. ICI, JAMAIS RIEN NE CHANGE

LE MÊME DÉCOR, LA MÊME CHAMBRE

LES MÊMES BONNES VIEILLES CORVÉES

LE MÊME VIEUX FUMIER

CETTE SCÈNE PASTORALE N'EST PAS PRÉCISÉMENT STIMULANTE INTELLECTUELLEMENT

JIM DAVIS

TU AS LU UN BON LIVRE DERNIÈREMENT?

OINK

3-14

« OINK » DIT-IL. JE N'AI RIEN À AJOUTER

« OINK » DANS LE SENS EXISTENTIEL, BIEN SÛR

FRÉROT, REGRETTES-TU D'ÊTRE RESTÉ À LA FERME ALORS QUE JE SUIS PARTI POUR LA VILLE VIVRE UNE EXISTENCE DE LUXE

PAS VRAIMENT. PAPA VA PROBABLEMENT ME LÉGUER LA FERME, ET JE VENDRAI LE TERRAIN AVEC UN PROFIT ÉNORME POUR PRENDRE MA RETRAITE DANS LA FLEUR DE L'ÂGE

BESOIN D'UN GARÇON DE FERME?

APPORTE-MOI TON C.V. AVEC TROIS BONNES RÉFÉRENCES. ET MAMAN NE COMPTE PAS

MAGNIFIQUE COUCHER DE SOLEIL, N'EST-CE PAS PAPA?

PLUS MAGNIFIQUE QU'UN PETIT WAGON ROUGE REMONTANT LA COLLINE

QU'EST-CE QUE TU VEUX DIRE?

OH, JE DIS SEULEMENT CE QUE VOUS, LES CITADINS, VOUS ATTENDEZ À ENTENDRE DE NOUS LES FERMIERS

BIEN DIT

MAMAN, NOUS ALLONS PARTIR MAINTENANT, GARFIELD ET MOI

RESTEZ, RESTEZ! JE VIENS DE FAIRE DES TARTES

3-17

NOUS DEVONS Y ALLER. VIENS, GARFIELD

QUE DIS-TU, L'ÉTRANGER?

ÇA VA, LES GARS, DEHORS!

© 1984 PAWS, INC.

OÙ AVEZ-VOUS DONC ÉTÉ ÉLEVÉS, LES GARS, DANS UNE GRANGE? LA PROCHAINE FOIS, PASSEZ PAR LA PORTE

JIM DAVIS

CRASH!

MERCI

3-25

GARFIELD, SOIS UN GENTIL CHAT ET VA CHERCHER LE JOURNAL

3-29 JIM DAVIS

OUI MAÎTRE. À VOTRE SERVICE, MAÎTRE

POURQUOI NE PUIS-JE PAS AVOIR UN CHAT DOMESTIQUE NORMAL COMME TOUT LE MONDE?

JE CHERCHE UN CERVEAU POUR MON MAÎTRE

JIM DAVIS 3-30

UN CERVEAU, JE CHERCHE UN CERVEAU POUR MON MAÎTRE

AH, DU CAFÉ

JIM DAVIS 3-31

IL VA FALLOIR QUE JE M'HABITUE À ÊTRE BOSSU

JE TROUVERAI BIEN QUELQUE INDICE RELATIF À LA DISPARITION DE POOKY

4-5

AHA! SE PEUT-IL QUE CE SOIT UN POIL DE POOKY PAREIL AUX PIERRES DU PETIT POUCET?

MÊME S'IL NE S'AGIT PAS DE ÇA, JE VIENS DE FAIRE UNE ALLITÉRATION PLUTÔT RÉUSSIE.

BON, QU'EST-CE QUE C'EST? JUSTE COMME MON OURSON VIENT DE DISPARAÎTRE, CE SAC APPARAÎT MYSTÉRIEUSEMENT

JIM DAVIS

QUELQUE CHOSE SENT LE POISSON LÀ-DEDANS

4-6

AHA! JON! C'ÉTAIT DONC TOI LE RAVISSEUR DE POOKY

JIM DAVIS

DE TOUTE ÉVIDENCE, RÉALISANT QUE J'ÉTAIS TOUT PRÈS DE LE DÉCOUVRIR ET CRAIGNANT MON COURROUX, IL A DÉCIDÉ DE LIBÉRER POOKY ET DE SE LIVRER À LA JUSTICE.

4-7

J'AI LAVÉ TON OURSON GARFIELD

SOUPIR... MERCI

TOUS DROITS RÉSERVÉS

IL EST PRESQUE MINUIT EN CE LUNDI SOIR

JE N'ARRIVE PAS À LE CROIRE! RIEN DE DÉSAGRÉABLE NE M'EST ARRIVÉ DE TOUTE LA JOURNÉE

COUAC !!!

REGARDEZ ÇA, C'EST LA VIEILLE BLAGUE DE L'OS DE CAOUTCHOUC

SHOOP!

LES MEILLEURES BLAGUES SONT DE PURES PERTES AVEC LES IDIOTS

SQUIT

BLAT

UNNNNGH! À L'AIDE! À L'AIDE! LA BÊTE ME SUCE LE CERVEAU JUSQU'À LA MOELLE!

AVEC GARFIELD, JOUER AVEC LA NOURRITURE EST DEVENU UN ART

TOUS DROITS RÉSERVÉS

DÉSOLÉ, EST-CE QUE JE T'AI FAIT PERDRE TA LÉGÈRETÉ, VIEUX FRÈRE?

COMME UNE ROCHE, VIEUX FRÈRE

JE M'ENNUIE, GARFIELD

JE SUIS FATIGUÉ DE TOUJOURS VOIR LE MÊME PAYSAGE. ME COMPRENDS-TU?

PAS VRAIMENT

TOI AU MOINS, TU PEUX VOIR LE PAYSAGE

GARFIELD, IL N'Y A QU'UNE FAÇON DE NOUS DÉBARRASSER DE CE VOILE GRIS QUI NOUS ÉCRASE

IL N'Y A QU'UN SENTIER MENANT HORS DE CETTE VALLÉE DE MOROSITÉ   QU'UNE SEULE MANIÈRE SÛRE DE CONTRER L'ENNUI

PRÉPARE TES AFFAIRES, NOUS PARTONS EN VACANCE

JE SUIS PRÊT, ALLONS-Y!

COMBIEN POUR LES BILLETS D'AVION?... EUH, AVEZ-VOUS QUELQUE CHOSE DE MOINS CHER?

JIM DAVIS

CE POURRAIT ÊTRE FATAL!

4-19

JE COIS QU'ILS NE TIENNENT PAS À NOTRE CLIENTÈLE, GARFIELD

OÙ EST LA CONCURRENCE POUR LES JOUEURS DE BAS ÉCHELON DE NOS JOURS?

© 1984 PAWS, INC.

MERCI BEAUCOUP

JIM DAVIS

GARFIELD, J'AI DÛ NOUS INSCRIRE EN TROISIÈME CLASSE POUR TOUTE LA DURÉE DE NOS VACANCES, J'ESPÈRE QUE ÇA NE TE DÉRANGE PAS

ÇA VA

4-20

© 1984 PAWS, INC.

C'EST TOUJOURS MIEUX QUE CETTE EXISTENCE DE QUATRIÈME CLASSE QUE NOUS MENONS ICI

SORTONS D'ICI, GARFIELD

© 1984 PAWS, INC.

MINUTE!

4-21

QUE FAISAIS-TU?

UN PETIT BAISER D'AU REVOIR AU FRIGO

JIM DAVIS

AMUSEZ-VOUS LES GARS, MAIS PAS DE TROU DANS LE SABLE, SI VOUS VOYEZ CE QUE JE VEUX DIRE

HÉ, BÉBÉ! QUEL EST TON SIGNE?

TU LA BOUCLES, FRELUQUET, C'EST MA FEMME

VA TE FAIRE ENTERRER PETIT MINABLE

JIM DAVIS   4-29

© 1984 PAWS, INC.

EH BIEN JE SUPPOSE QU'IL FAUT FAIRE CE QU'IL DIT, MAIS PAS CE QU'IL FAIT

JE N'AI PAS VU D'AGENT DE BORD DEPUIS DES HEURES GARFIELD

JE VAIS VOIR CE QUI SE PASSE

PARDON, MONSIEUR, CETTE COMPAGNIE AÉRIENNE DONNE-T-ELLE UN BON SERVICE?

HÉ! ON COMMENCE À AVOIR FAIM ICI EN TROISIÈME CLASSE! QU'EST-CE QU'ON MANGE?!

BLAT!

BLAT!

BISCUIT ET PÂTÉE. YAM YAM

CONK!

CONK!

JIM DAVIS 4-25

NIAAN! NIAAN! NIAAN! NIAAN!

MIKEY, CE N'EST PAS GENTIL DE SE MOQUER DES GENS, MÊME S'ILS VOYAGENT EN TROISIÈME CLASSE

NON! GARFIELD, NON!

LAISSE-MOI LES GRIFFER JUSTE UN PEU!

JE COMPRENDS QUE C'EST LA SORTIE DE TROISIÈME CLASSE, GARFIELD

MAIS J'AURAIS CRU QU'ILS NOUS AURAIENT FOURNI UNE ÉCHELLE OU QUELQUE CHOSE

JE VEUX LA CHAMBRE LA MOINS CHÈRE POUR MOI ET MON CHAT

OUI, MONSIEUR CE SERA LA SUITE OLIVER TWIST, MONSIEUR

BIEN, GARFIELD. VOICI LE LIT, ET LA SALLE DE BAIN EST AU BOUT DU COULOIR. DES QUESTIONS?

OUI...

OÙ VAS-TU DORMIR?

IL NE ME RESTE PLUS QU'À DÉFAIRE MES VALISES, GARFIELD, ET NOUS POURRONS NOUS REPOSER

CLICK

ARRRRGH! PAS UN AUTRE ANIMAL DONT JE DOIS M'OCCUPER!

JE CROIS QUE J'AI EU ASSEZ DE SURPRISES POUR AUJOUR-D'HUI

ALORS NE REGARDE PAS CE QU'ODIE A FAIT AVEC TON VESTON SPORT

GARFIELD, QUE FAIS-TU DANS CE ROND DE SABLE?

J'AVAIS BESOIN D'UN COIN DE LITIÈRE, MERCI

BON LES GARS, CE FURENT DE BELLES VACANCES, MAIS C'EST LE TEMPS DE RENTRER

BON SANG! QU'EST-CE QUI VOUS EST ARRIVÉ LES GARS?!

ODIE A DÉCOUVERT COMMENT APPELER LE SERVICE AUX CHAMBRES

BURP

ENFIN CHEZ SOI!

ARRRGH!

OK, QUI A LAISSÉ LE ROBINET OUVERT?!

JE NE VOULAIS PAS LAISSER SÉCHER MA COLLECTION D'ÉPONGES

TAPPITY TAPPITY TAPPITY

BONSOIR LES AMIS, VOICI UNE BLAGUE QU'A DIT LE CASTOR QUAND IL A ENTENDU LA TRONÇONNEUSE?

CHUKONG!

TWIT   TWIT

ILS JOUENT MA CHANSON

TOUTES VOS MAMANS PORTENT DES BOTTES DE L'ARMÉE

KONK   CRASH!   BAP!

POURQUOI FAIS-TU ÇA, GARFIELD?

J'ADOOOORE ATTIRER L'ATTENTION

TOUS DROITS RÉSERVÉS